APPRENTIS LECTEURS
SCIENCES

LES ÉRABLES

Allan Fowler
Texte français de Claude Cossette

Éditions
SCHOLASTIC

P9-DWG-223

Conception graphique : Herman Adler Design

Recherche de photos : Caroline Anderson

Sur la photo de la couverture,
on voit un érable couvert de feuilles d'automne colorées.

Catalogage avant publication de la
Bibliothèque nationale du Canada

Fowler, Allan
Les érables / Allan Fowler;
texte français de Claude Cossette.

(Apprentis lecteurs. Sciences)
Traduction de : Maple Trees.
Pour les 5-8 ans.
Comprend un index.
ISBN 0-439-95837-7

1. Érable--Ouvrages pour la jeunesse.
I. Cossette, Claude II. Titre. III. Collection.

QK495.A17F6814 2005   j583'.78   C2004-906945-4

Édition publiée par les Éditions Scholastic, 175 Hillmount Road, Markham (Ontario) L6C 1Z7.

5 4 3 2 1   Imprimé au Canada   05 06 07 08

As-tu déjà mangé
des crêpes arrosées
de sirop d'érable?

Le sirop d'érable provient
des érables.

Les érables poussent
dans l'est du Canada et
le nord-est des États-Unis.

Tu peux reconnaître la plupart
des érables par leurs feuilles.

Une feuille d'érable a trois
parties. On les appelle
des lobes.

Chaque lobe se termine
en pointe.

lobe

Les feuilles d'érable
poussent deux par deux.
Une feuille pousse de chaque
côté de la branche.

Les gros érables bien feuillus
nous font de l'ombre et nous
protègent du soleil brûlant.
On les plante souvent dans
les cours, les parcs et le long
des rues.

Certaines rues bordées d'érables portent leur nom.

De petites fleurs poussent
sur les érables. Les graines
des fleurs ont des ailes.

Les ailes les aident à flotter
au vent. Si les graines se posent
sur de la bonne terre, des arbres
peuvent se mettre à pousser.

Il existe différentes sortes d'érables. Le sirop provient de l'érable à sucre.

15

Tôt au printemps, les arbres
sont entaillés, c'est-à-dire
qu'on y perce des trous.

Ensuite, on met des chalumeaux
ou de petits tuyaux dans les trous.

La sève de l'érable sort des chalumeaux et tombe goutte à goutte dans des seaux.
Cela ne blesse pas l'arbre.

On apporte les seaux de sève
dans une cabane à sucre.

On fait bouillir la sève dans
la cabane à sucre pour qu'elle
devienne du sirop.

La plus grande partie du sirop
d'érable vient de la province
de Québec, au Canada.

Il y a même une feuille d'érable
sur le drapeau canadien.

Les érables à sucre ne donnent
pas seulement du sirop.

Leur bois est très dur. On s'en
sert pour fabriquer des objets,
comme des meubles et
des instruments de musique.

Les érables changent de couleur
à l'automne. Leurs feuilles
vertes deviennent jaunes,
orange, rouges ou dorées.

Puis les érables perdent leurs
feuilles. Les arbres restent
dénudés jusqu'au printemps.

Beaucoup de gens ramassent
les feuilles colorées avec
un râteau pour en faire des tas.
Les enfants s'amusent ensuite
à sauter dedans!

Les mots que tu connais

drapeau canadien

fleurs

feuilles

lobes

sève

graines

ombre

cabane à sucre

sirop

Index

Crédits-photos